Pour Théo, Carla, Laura et Lucas.

SOMMAIRE

2   Petit Papa Noël

4   Noël Blanc

6   Entre le boeuf et l'âne gris

8   Douce nuit, sainte nuit

10 Les anges dans nos campagnes

12 Mon beau sapin

14 La légende de Saint Nicolas

16 Dans cette étable

18 L'enfant au tambour

20 La marche des rois mages

22 Minuit, chrétiens !

24 Vive le vent

26 Il est né le divin enfant

28 Ave Maria

30 Glory hallelujah

32 La véritable histoire
    du Père Noël

PETIT papa Noël

C'est la belle nuit de Noël,
La neige étend son manteau blanc
Et les yeux tournés vers le ciel,
A genoux les petits enfants,
Avant de fermer les paupières,
Font une dernière prière…

Petit papa Noël,
Quand tu descendras du ciel,
Avec tes jouets par milliers,
N'oublie pas mon petit soulier…
Mais avant de partir,
Il faudra bien te couvrir,
Dehors, tu vas avoir si froid,
C'est un peu à cause de moi…

Il me tarde tant que le jour se lève
Pour voir si tu m'as apporté
Tous les beaux joujoux que je vois en rêve
Et que je t'ai commandés…

Petit papa Noël,
Quand tu descendras du ciel,
Avec tes jouets par milliers,
N'oublie pas mon petit soulier…

Le marchand de sable est passé,
Les enfants vont faire dodo,
Et tu vas pouvoir commencer,
Avec ta hotte sur le dos,
Au son des cloches des églises,
Ta distribution de surprises…

Petit papa Noël,
Quand tu descendras du ciel,
Avec tes jouets par milliers,
N'oublie pas mon petit soulier…

Et quand tu seras sur ton beau nuage,
Viens d'abord dans notre maison,
Je n'ai pas été tous les jours très sage
Mais j'en demande pardon…

Petit papa Noël,
Quand tu descendras du ciel,
Avec tes jouets par milliers,
N'oublie pas mon petit soulier…
Mais avant de partir,
Il faudra bien te couvrir,
Dehors, tu vas avoir si froid,
C'est un peu à cause de moi,
Petit papa Noël.

Noël

BLANC

Oh, quand j'entends chanter
Noël
J'aime à revoir mes joies d'enfants
Le sapin scintillant
La neige d'argent !
Noël,
Mon beau rêve blanc,
Oh, quand j'entends sonner
Au ciel
L'heure où le bon vieillard descend,
Je revois tes yeux clairs, maman,
Et je songe
A d'autres Noëls blancs !

Oh, quand j'entends chanter
Noël,
J'aime à revoir mes joies d'enfant,
Le sapin scintillant,
La neige d'argent…
Noël,
Mon beau rêve blanc,
Oh, quand j'entends sonner
Au ciel
L'heure où le bon vieillard descend,
Je revois tes yeux clairs, maman,
Et je songe
A d'autres Noëls blancs !

4

ENTRE LE BŒUF ET L'ANE GRIS

Entre le bœuf et l'âne gris
Dort, dort, dort le petit fils.

Refrain
Mille anges divins,
Mille séraphins
Volent à l'entour
De ce grand Dieu d'amour.

Entre les pastoureaux jolis
Dort, dort, dort le petit fils.

Refrain

Entre les roses et les lys
Dort, dort, dort le petit fils.

Refrain

Entre les deux bras de Marie
Dort, dort, dort le petit fils.

Refrain

DOUCE NUIT, SAINTE NUIT

Douce nuit, sainte nuit !
Dans les cieux, l'astre luit.
Le mystère annoncé s'accomplit,
Cet enfant sur la paille endormi,
C'est l'amour infini ! **(bis)**

Doux Enfant, doux Agneau !
Qu'Il est saint ! Qu'Il est beau !
Entendez résonner les pipeaux
Des bergers conduisant leurs troupeaux
Vers son humble berceau ! **(bis)**

C'est vers nous qu'Il accourt,
En un don sans retour !
De ce monde ignorant de l'amour,
Où commence aujourd'hui son séjour,
Qu'Il soit Roi pour toujours ! **(bis)**

Quel accueil pour un roi !
Point d'abri, point de toit !
Dans sa crèche Il grelotte de froid
O pécheur, sans attendre la croix,
Jésus souffre pour toi ! **(bis)**

Les anges
DANS NOS CAMPAGNES

Les anges dans nos campagnes
Ont entonné l'hymne des cieux
Et l'écho de nos montagnes
Redit ce chant mélodieux :

Gloria in excelsis Deo !
Gloria in excelsis Deo !

Bergers, pour qui cette fête ?
Quel est l'objet de tous ces chants ?
Quel vainqueur, quelle conquête
Méritent ces chœurs triomphants ?

Gloria in excelsis Deo !
Gloria in excelsis Deo !

Ils annoncent la naissance
Du Saint Rédempteur d'Israël,
Et pleins de reconnaissance
Chantent en ce jour solennel :

Gloria in excelsis Deo !
Gloria in excelsis Deo !

Seigneur, par la voix de l'ange,
Par les hymnes des chérubins,
La terre sait la louange
Qui se chante aux parvis divins :

Gloria in excelsis Deo !
Gloria in excelsis Deo !

Des anges suivant l'exemple ;
Seigneur, Vous viendrez désormais
Au milieu de Votre temple
Chanter avec eux Vos bienfaits :

Gloria in excelsis Deo !
Gloria in excelsis Deo !

Mon beau SAPIN

Mon beau sapin, roi des forêts,
Que j'aime ta verdure !
Quand par l'hiver, bois et guérets
Sont dépouillés de leurs attraits,
Mon beau sapin, roi des forêts,
Tu gardes ta parure.

Toi que Noël planta chez nous
Au saint anniversaire,
Mon beau sapin, comme il est doux
De te voir briller parmi nous,
Toi que Noël planta chez nous,
Scintillant de lumière.

Mon beau sapin, tes verts sommets
Et leur fidèle ombrage,
De la foi qui ne ment jamais,
De la constance et de la paix,
Mon beau sapin, tes verts sommets
M'offrent la douce image.

La légende de Saint Nicolas

Ils étaient trois petits enfants
Qui s'en allaient glaner aux champs.
Tant sont allés, tant sont venus
Que le soir se sont perdus ;
S'en sont allés chez le boucher :
– Boucher, voudrais-tu nous loger ?
– Entrez, entrez, petits enfants,
Y a de la place, assurément.

Ils n'étaient pas sitôt entrés
Que le boucher les a tués,
Les a coupés en p'tits morceaux,
Mis au saloir comme pourceaux.

Saint Nicolas, au bout d'sept ans,
Vint à passer dedans ce champ.
Il s'en alla chez le boucher :
– Boucher, voudrais-tu me loger ?
– Entrez, entrez, saint Nicolas,
De la place, il n'en manque pas.

Il n'était pas sitôt entré
Qu'il a demandé à souper.
On lui apporte du jambon,
Il n'en veut pas, il n'est pas bon.
On lui apporte du rôti,
Il n'en veut pas, il n'est pas cuit.

– De ce salé, je veux avoir,
Qu'y a sept ans qu'est dans l'saloir.
Quand le boucher entendit ça,
Hors de sa porte il s'enfuya.
– Boucher, boucher, ne t'enfuis pas !
Repens-toi, Dieu pardonnera.

Saint Nicolas pose trois doigts
Dessus le bord de ce saloir :
– Petits enfants qui dormez là,
Je suis le grand saint Nicolas.
Et le grand saint étend trois doigts,
Les p'tits se relèvent tous les trois.

Le premier dit : – J'ai bien dormi.
Le second dit : – Et moi aussi !
Et le troisième répondit :
– Je croyais être en Paradis !
Il était trois petits enfants
Qui s'en allaient glaner aux champs.

Dans cette étable

❋ Dans cette étable,
Que Jésus est charmant
Qu'Il est aimable
Dans son abaissement
Que d'attraits à la fois !
Tous les palais des rois
N'ont rien de comparable
A tout ce que je vois
Dans cette étable !

Heureux mystère :
Jésus, venant pour nous,
D'un Dieu sévère
Apaise le courroux
Pour sauver les pécheurs
Il naît dans la douleur.
Sa grâce familière
Eclipse sa grandeur,
Heureux mystère !

S'il est sensible,
Ce n'est qu'à nos malheurs,
Le froid terrible
Ne cause point ses pleurs.
Après tant de bienfaits,
Notre cœur aux attraits
D'un amour si visible
Doit céder désormais
S'il est sensible !

L'enfant au tambour

Sur la route, parapapam pam,
Petit tambour s'en va, parapapam pam.
Il sent son cœur qui bat, parapapam pam,
Au rythme de ses pas…
Parapapam pam, rapapam pam, rapapam pam…

Oh, petit enfant, parapapam pam,
Où vas-tu ? Parapapam pam.
Hier, mon père, parapapam pam,
A suivi le tambour, parapapam pam,
Le tambour des soldats, parapapam pam,
Alors je vais au ciel,
Parapapam pam, rapapam pam, rapapam pam,

Car je veux donner pour son retour mon tambour.
Parapapam pam, rapapam pam…
Tous les anges, parapapam pam,
Ont pris leurs beaux tambours, parapapam pam,
Et ont dit à l'enfant, parapapam pam,
Ton père est de retour,
Parapapam pam, rapapam pam, rapapam pam,
Et l'enfant s'éveille, parapapam pam,
Sur son tambour.

18

La marche des ROIS MAGES

De bon matin, j'ai rencontré le train
De trois grands rois qui allaient en voyage,
De bon matin, j'ai rencontré le train
De trois grands rois dessus le grand chemin.

Venaient d'abord des gardes du corps,
Des gens armés avec trente petits pages,
Venaient d'abord des gardes du corps
Des gens armés dessus leurs justaucorps.

Puis sur un char doré de toutes parts,
On voit trois rois modestes comme des anges,
Puis sur un char doré de toutes parts,
Trois rois debout parmi les étendards.

L'étoile luit et les rois conduits
Par longs chemins devant une pauvre étable.
L'étoile luit et les rois conduits
Par longs chemins devant l'humble réduit.

Au Fils de Dieu qui naquit en ce lieu,
Ils viennent tous présenter leurs hommages.
Au Fils de Dieu qui naquit en ce lieu,
Ils viennent tous présenter leurs doux vœux.

De beaux présents, or, myrrhe et encens,
Ils vont offrir au maître tant aimable.
De beaux présents, or, myrrhe et encens,
Ils vont offrir au bienheureux enfant.

MINUIT, CHRÉTIENS !

Minuit, chrétiens ! C'est l'heure solennelle
Où l'homme Dieu descendit jusqu'à nous
Pour effacer la tache originelle
Et de son Père arrêter le courroux.
Le monde entier tressaille d'espérance
En cette nuit qui lui donne un Sauveur.
Peuple à genoux ! Attends ta délivrance !
Noël ! Noël ! Voici le Rédempteur ! **(bis)**

Le Rédempteur a brisé toute entrave
La terre est libre et le ciel est ouvert
Il voit un frère où n'était qu'un esclave.
L'amour unit ceux qu'enchaînait le fer,
Qui lui dira notre reconnaissance,
C'est pour nous tous qu'Il naît,
Qu'Il souffre et qu'Il meurt.
Peuple debout ! Chante ta délivrance !
Noël ! Noël ! Chantons le Rédempteur ! **(bis)**

vive LE VENT

Sur le long chemin
Tout blanc de neige blanche,
Un vieux monsieur s'avance
Avec sa canne dans la main.
Et tout là-haut le vent
Qui siffle dans les branches
Lui souffle la romance
Qu'il chantait petit enfant…

Refrain :
Oh ! Vive le vent, vive le vent,
Vive le vent d'hiver,
Qui s'en va sifflant, soufflant,
Dans les grands sapins verts.
Oh ! Vive le temps, vive le temps,
Vive le temps d'hiver,
Boule de neige et jour de l'An
Et bonne année grand-mère !

Joyeux, joyeux Noël
Aux mille bougies,
Quand chantent vers le ciel
Les cloches de la nuit.
Et dans chaque maison,
Il flotte un air de fête,
Partout la table est prête
Et l'on entend la même chanson…

Refrain

Et le vieux monsieur
Descend vers le village,
C'est l'heure où tout est sage
Et l'ombre danse au coin du feu.
Mais dans chaque maison,
Il flotte un air de fête,
Partout la table est prête
Et l'on entend la même chanson…

Refrain

Sur le long chemin
Tout blanc de neige blanche,
Un vieux monsieur s'avance
Avec sa canne dans la main.
Et tout là-haut le vent
Qui siffle dans les branches
Lui souffle la romance
Qu'il chantait petit enfant.

Refrain

IL EST NÉ LE DIVIN ENFANT

Refrain
Il est né le divin enfant,
Jouez hautbois, résonnez musettes,
Il est né le divin enfant,
Chantons tous son avènement.

Depuis plus de quatre mille ans
Nous le promettaient les prophètes,
Depuis plus de quatre mille ans
Nous attendions cet heureux temps.

Refrain

Ah ! Qu'il est beau, qu'il est charmant !
Ah ! Que ses grâces sont parfaites !
Ah ! Qu'il est beau, qu'il est charmant !
Qu'il est doux, ce devin enfant.

Refrain

Une étable est son logement,
Un peu de paille est sa couchette,
Une étable est son logement,
Pour un Dieu, quel abaissement !

Refrain

Partez, grands rois de l'Orient,
Venez vous unir à nos fêtes !
Partez, grands rois de l'Orient,
Venez adorer cet enfant !

Refrain

Ave Maria

Ave Maria (bis)
gratia plena,
dominus tecum ;
Benedicta tu
in mulieribus
Et benedictus
fructus ventris tui,
Et benedictus,
fructus ventris tui,
Iesus.

Sancta Maria,
Ave Maria,
Mater Dei
Ora pro nobis
peccatoribus, (bis)
nunc et in hora
mortis nostrae.
Ora pro nobis
peccatoribus, (bis)
Ave Maria…
Amen !

GLORY HALLELUJAH

La plus belle nuit du monde,
C'est cette nuit de Noël
Où les berges étonnés
Levèrent les yeux vers le ciel.
Une étoile semblait dire :
Suivez-moi, je vous conduis
Il est né cette nuit !

Refrain
Glory, glory, hallelujah,
Glory, glory, hallelujah,
Glory, glory, hallelujah,
Chantons, chantons Noël !

Ils ont suivi cette étoile
Sur les chemins de Judée,
Mais des quatre coins du monde
D'autres les ont imités
Et ce chant, comme une source,
A traversé le pays ;
Il est né cette nuit.

Refrain

La plus belle nuit du monde,
C'est cette nuit de Noël
Où au cœur de tous les hommes,
Un peu d'amour descend du ciel…
Tant de choses les séparent,
Cette étoile les unit ;
Il est né cette nuit.

Refrain

Refrain

LA VÉRITABLE HISTOIRE DU PÈRE NOËL

Je pense au père Noël
En regardant le ciel.
J'espère que ma lettre est arrivée
Et qu'il pensera à mes jouets.

Je pense au père Noël
En regardant le ciel.

Demain, c'est le 25 décembre,
Ai-je été pour lui assez tendre ?
A-t-il trouvé les jouets que je voulais ?
Je sais que son secret est bien gardé.

Je pense au père Noël
En regardant le ciel.
Je sais qu'il ne m'oubliera pas
Et qu'il pensera toujours à moi.

Direction éditoriale : Karin Schepping
Maquette et mise en page : Aline Fall

Illustrations : Corinne Bittler

Imprimeur : AIFB

ISBN : 2-35111-024-2
Dépôt légal : novembre 2005
Achevé d'imprimer dans l'UE en octobre 2006